La igualdad

La igualdad, 2021
Amparo Bosque y Susana Rosique
52 pp., col. 17 x 20 cm
ISBN: 978-84-16470-32-7

© Amparo Bosque por el texto, 2020
© Susana Rosique por la portada y las ilustraciones, 2018

Primera edición: 2021

© Fineo Editorial, S.L.
www.editorialfineo.com
contacto@editorialfineo.com
Madrid, España

La igualdad

Amparo Bosque
Ilustraciones Susana Rosique

¿Qué quiere decir "vivir en igualdad"?

Vivir en igualdad significa vivir en un lugar donde todas las personas seamos tratadas por igual; es decir, que no haya discriminación por el color de piel, la clase social, la religión, la nacionalidad o si somos hombres o mujeres.

Todos debemos tener los mismos derechos y las mismas oportunidades.

Los niños y las niñas, ¿somos iguales o somos diferentes?

Todas las personas somos diferentes: nos expresamos, sentimos y vemos las cosas de forma distinta. Por ejemplo, a mí me gustan más las hamburguesas y a mi hermano le gusta más la pizza, pero esa diferencia no significa que uno sea mejor que otro.

¿Te imaginas qué aburrido sería que todos nos comportáramos de la misma manera?, ¿si habláramos con el mismo tono?, ¿si jugáramos a un único juego?

Las niñas y los niños son diferentes en cuanto a su cuerpo pero son iguales en capacidades; por tanto, deben recibir el mismo trato y tener las mismas oportunidades y responsabilidades.

Cada uno, sin importar si es niño o niña, tiene derecho a
ser como quiera ser. El hecho de haber nacido hombre o
mujer no significa que seas mejor o peor, ni que tengas que
actuar de una determinada manera.

Entonces, ¿por qué mis padres me dicen que, si soy niño, no debo jugar con el horno de juguete? ¡A mí me gustaría ser chef!

Hay gente que todavía cree que los niños deben de comportarse y jugar de una manera, y las niñas de otra. Esas diferencias no tienen sentido.

Hoy sabemos que no deben existir roles específicos impuestos, y que todos, niños y niñas, pueden actuar de la manera que más los haga felices... ¡habrá que decirles a tus padres que los tiempos han cambiado y que no tiene nada de malo que quieras cocinar con el horno de juguete!

¡De mayor serás
un gran chef!

Igualdad y equidad, ¿son lo mismo?

No precisamente, aunque son dos conceptos que se relacionan.

La igualdad señala, (en las leyes nacionales y las normativas internacionales) que todas las personas deben tener los mismos derechos y las mismas responsabilidades. La equidad demanda que esos derechos y obligaciones se repartan de acuerdo con las posiblilidades y necesidades de cada persona.

Es un poco confuso, la equidad busca eliminar las desventajas que tienen algunas personas para que realmente exista un equilibrio. Por ejemplo, la equidad de género impulsa acciones que permitan a las mujeres progresar y tener las mismas oportunidades que los hombres, ya que históricamente ellos han tenido más oportunidades de desarrollarse.

¿Qué tiene que ver conmigo la igualdad?

La igualdad es una condición social que impacta a todos los seres humanos, seamos mujeres u hombres, niños o adultos; migrantes, homosexuales, heterosexuales, etc.

Así que por supuesto, ¡la igualdad tiene que ver contigo!.

Es importante que sepas y actúes reconociendo que todos los niños, (y las personas en general) tenemos derecho a gozar de un trato digno e igualitario y a no ser discriminados bajo ninguna circunstancia.

¿Sabías que...?
La mayoría de los países tienen leyes que protegen a todas las personas. La Comisión de Derechos Humanos de las Naciones Unidas, por ejemplo, busca que los más débiles o desprotegidos tengan un trato digno, como todos.

¿Y por qué es más común que el papá salga a trabajar y la mamá se quede en casa?

En el pasado era común que los hombres salieran a trabajar mientras las mujeres se quedaban en casa cuidando a los hijos y realizando los quehaceres. La situación cambió a partir del siglo pasado, como consecuencia de las dos guerras mundiales.

Las mujeres, en ausencia de los hombres que estaban en los campos de batalla, tuvieron que incorporarse activamente a la vida productiva.

A partir de entonces, cada vez con más frecuencia, padres y madres trabajan por igual fuera y dentro de casa, como ellos lo decidan.

Hoy se reconoce que, para que una nación progrese, se desarrolle y viva en justicia, es necesario que tanto hombres como mujeres sean educados en igualdad, con las mismas oportunidades de desarrollo y protegidos por los mismos derechos.

Entonces, ¿está mal que la mamá se haga cargo de las tareas domésticas y de la casa?

¡Por supuesto que no!, las mujeres que trabajan haciendo las labores domésticas en su casa son tan importantes como quienes trabajan fuera. Lo importante es reconocer el trabajo de todas las mujeres, sea dentro o fuera del hogar; porque muchas veces el trabajo de las mujeres no se valora.

El trabajo realizado por hombres y mujeres es fundamental para la armonía, la estabilidad y el desarrollo de las familias, la comunidad y la sociedad.

Hay muchas mujeres
en mi familia que
no reciben el
mismo trato que
los hombres...

Desafortunadamente aún hay familias, comunidades y culturas que consideran que los hombres son superiores a las mujeres, o que los blancos son mejores que los negros. Esto se conoce como "discriminación" y quien la ejerce no reconoce que la riqueza del mundo reside en nuestras diferencias.

¡Qué maravilla es la pluralidad y la diversidad en el mundo!

¿Quiénes vigilan que
nuestros derechos
sean respetados y que
todos seamos tratados
por igual?

Los gobiernos deben promover y proteger los derechos de todas las personas. El Estado tiene la responsabilidad de garantizar que se cumplan las leyes, que niños y niñas reciban educación y se cubran sus necesidades básicas.

Actualmente, en algunos países, la situación de las niñas es más complicada que la de los niños. Hay niñas que no asisten a la escuela, que no pueden jugar o que carecen de una alimentación sana. Incluso peor, hay niñas que viven situaciones de violencia y maltrato porque en sus entornos aún se piensa que las mujeres son inferiores a los hombres.

¡La desigualdad entre hombres y mujeres debe acabar!

¿Sabías que...?
En algunas comunidades del mundo hay padres que casan a sus hijas con hombres mayores a cambio de dinero. Estos hechos son una preocupación internacional y organizaciones como la ONU y la UNICEF trabajan cada día para poner fin a esas injusticias.

¿Los derechos de la mujer son Derechos Humanos?

Los Derechos Humanos son derechos que tenemos todas las personas, simplemente por el hecho de existir; se basan en los principios de la dignidad humana. Nadie puede privarnos de ellos: nacemos libres e iguales en dignidad y derechos, por tanto, sí, los derechos de las mujeres son Derechos Humanos.

El siglo pasado fue muy importante para lograr el reconocimiento de la igualdad entre mujeres y hombres. En 1979 se realizó la *Convención sobre la Eliminación de todas las formas de Discriminación hacia las Mujeres;* en 1993 se promulgó la *Declaración sobre la Eliminación de la Violencia contra la Mujer* y, en 1995, en Beijing, se celebró la *Cuarta Conferencia Mundial sobre la Mujer*.

¿Sabías que...?
La *Declaración Universal de los Derechos Humanos* (DUDH) fue proclamada en 1948 por la Asamblea General de las Naciones Unidas, en París, después de las atrocidades cometidas en la Segunda Guerra Mundial.

Violencia de género, ¿a qué se refiere?

Se habla de violencia cuando se daña a alguien mediante un abuso de poder.

La violencia de género es un tipo de violencia que se ejerce sobre las mujeres solo por el hecho de ser mujeres. Esa violencia puede ser física, cuando el hombre golpea a la mujer, pero también existen otros tipos de maltratos que no se ven a simple vista y que son igual de destructivos, como el maltrato psicológico, cuando el hombre insulta, controla, prohíbe o descalifica a la mujer.

¡Frenemos la violencia de género!

Pero…, ¿por qué el marido querría hacerle daño a su mujer?

Existen personas a las que les cuesta mucho trabajo comportarse de una forma serena, con inteligencia; no saben que mediante el diálogo se pueden arreglar las diferencias y resolver los conflictos. Ellos creen que sólo se pueden hacer respetar mediante la fuerza, los golpes y los gritos.

Se dice que los hombres maltratadores son personas inseguras que necesitan imponer su fuerza para sentirse bien, así que utilizan a su pareja para desahogar sus inseguridades mediante gritos y abusos.

Todos sabemos que esa actitud no los hace superiores, ¡al contrario!, solo demuestran su inseguridad y desequilibrio. A las actitudes de control y violencia contra la mujer se les llama **machismo**.

El machismo es un fenómeno horrible que perjudica a toda la sociedad.

Entonces... ¡todas las personas somos iguales y tenemos las mismas capacidades!

En el mundo siguen existiendo muchos grupos humanos que sufren desigualdades y discriminaciones. Lo bueno es que cada vez hay más personas que levantan la voz y denuncian las injusticias que se cometen contra los vulnerables.

¡Vivamos en un mundo de igualdad!

Aun así, hay gente que lamentablemente ha recibido una educación que los lleva a discriminar a otros por cuestiones de género, etnia, religión o clase social; y le resulta muy difícil romper sus creencias.

Difundamos la idea de que todos los
seres humanos, sin excepción, debemos
recibir el mismo trato.

META

CIENCIA

EDUCACIÓN

PROACTIVIDAD

PERSONALIDAD

AFICIONES

OCIO

RESPONSABILIDAD

RESPETO

¿Siempre ha existido la igualdad?

No, desde hace relativamente poco tiempo se reconoce que todas las personas somos iguales.

Fue en el siglo XVIII, en Francia, con la *Declaración de los Derechos del Hombre y del Ciudadano* cuando, por primera vez, las ideas de igualdad surgieron.

A partir de ese momento, los demás países empezaron a reconocer, poco a poco, los derechos de grupos como las mujeres o los esclavos, que no eran considerados personas libres sino propiedad de otro, generalmente del hombre.

¿Por qué empezó la igualdad en Francia y no en otro país como España, Estados Unidos o México?

EGALITÉ

En el siglo XVIII los franceses pensaron que la educación y el conocimiento permitirían que cualquier sociedad, en todo el mundo, progresara. Por eso empezaron a difundir el conocimiento. Por ejemplo, la primera enciclopedia fue francesa y pretendía abarcarlo todo. La famosa divisa francesa "libertad, igualdad, fraternidad" que surgió durante la Revolución francesa se promovió por todo el mundo.

Sin embargo, la *Declaración de los Derechos del Hombre y del Ciudadano* no contemplaba los derechos de las mujeres; la palabra "hombre" no se refería a la humanidad sino solo a los varones. Esta discriminación motivó la actitud de protesta de dos francesas: Olimpia de Gouges, quien hizo la *Declaración de los Derechos de la Mujer y de la Ciudadana* y Mary Wollstonecraftc, que impulsó la *Vindicación de los Derechos de la Mujer*.

¿En Estados Unidos existe una ley de igualdad?

Sí, en inglés se le conoce como ERA (Equal Rights Amendment). Esta ley garantiza que las personas no puedan ser discriminadas por su sexo y que todas contamos con los mismos derechos; por ejemplo, permite que hombres y mujeres que realicen el mismo trabajo y reciban el mismo sueldo, lo cual no ocurría hace unos años.

También existe una ley contra la violencia de género. Desde el año 1994, la VAWA (Violence Against Women Act) trata de prevenir, sancionar y eliminar la violencia contra las mujeres en Estados Unidos.

¿Sabías que...?
En México, la antropóloga Marcela Lagarde acuñó el término *feminicidio* para referirse a los asesinatos de las mujeres en Ciudad Juárez. El feminicidio es una forma extrema de violencia contra las mujeres, por el solo hecho de serlo.

Estas leyes son muy importantes para nuestro país...

Sí. Dicen que los derechos de las mujeres son parte de los derechos humanos. La Igualad entre hombres y mujeres es imprescindible para el bienestar social y es un cuestión de interés universal.

Estas leyes dan a las mujeres un sustento para denunciar algún tipo de discriminación o violencia y cuando hagan una denuncia estén seguras de que su país las va a apoyar.

Estas leyes también conciencian a las personas sobre la importancia de eliminar prejuicios, estereotipos y roles de sexo.

No sé cómo promover la igualdad...

Si eres niño o niña de cualquier origen étnico o religión, debes saber que todas las personas somos iguales en valor y dignidad y mereces el mismo respeto y reconocimiento que los demás. Asimismo, tú debes de tener el mismo trato hacia todas las personas.

A veces a los niños varones se les educa en desigualdad.

Y cuando son adultos piensan que merecen un trato especial por el hecho de ser hombres. Mientras, algunas mujeres se les educa para que crean que son inferiores.

¡Pero sabemos que no es así! Empecemos por dar la importancia que se merece a los trabajos que hacen mamá y papá ya sea fuera o dentro del hogar.

Nosotros como niños,
¿qué podemos hacer
para REALMENTE
sentirnos iguales?

Por ejemplo, hay que aprender a identificar los estereotipos y no discriminar a nadie; no debemos permitir tratos humillantes o degradantes hacia nadie, y debemos promover que no se use la fuerza física para resolver los problemas.

¿Sabes quién es Malala Yousafzai?
Es una joven que desde los doce años lucha por los derechos de las mujeres. Malala se ha convertido en una esperanza para los derechos de las niñas de su país y ha recibido muchas distinciones, como el premio *National Youth Peace Prize* que ahora lleva su nombre.

¡Quiero practicar la igualdad!, ¿cómo lo hago?

¡Qué bien que quieras hacerlo! Las sociedades sanas necesitan personas que se reconozcan con iguales derechos.

Para ser más igualitario debes practicar:

- La empatía
- El respeto
- La solidaridad
- La justicia

¿En qué otras actitudes y valores piensas?

43

¿Puedo hacer algo más?, ¿cómo contribuyo a construir un mundo igualitario?

Existen muchas formas de practicar la igualdad y de fomentar los valores que la promueven. Puedes practicar la empatía, el respeto, la solidaridad o la justicia, también es buena idea practicar el amor, la amistad y la confianza.

Al ser empático, justo y respetuoso con los demás estás promoviendo la igualdad.

Además, puedes difundir los ideales de igualdad y equidad con tus conocidos y amigos. Recuerda que una sociedad es un conjunto de personas que conviven entre sí y comparten un espacio, así que, si convences a tus seres cercanos de practicar la igualdad ellos lo promoverán con sus conocidos y así sucesivamente, hasta crear una comunidad más igualitaria.

Pero... ¿cómo se acaban los abusos?

Los abusos terminarán denunciando y castigando a quienes practican la discriminación.

Se deben rechazar las situaciones de discriminación, así como ayudar a cambiar las ideas, creencias y costumbres que dañan a personas más vulnerables.

Las falsas ideas de superioridad e inferioridad, por cualquier motivo, nos perjudican a todos.

47

¡Vamos a jugar!

Test sobre la igualdad

¿Quién debe hacer las labores de la casa?

a) Mi madre

b) Mi padre y mi madre

c) La mayoría del trabajo lo debe hacer mi madre, y si no puede, mi padre.

¿Quién debe salir a trabajar y ganar dinero?

a) Mi padre

b) Mi madre

c) Ambos

¿Quién toma las decisiones importantes en la casa?

a) Mi madre y mi padre por igual

b) Mi papá

c) Mi mamá

Cuestionario igualitario

Escribe las palabras que te han dicho por ser hombre o mujer, o por tu raza o religión, y que te han perjudicado o hecho te han sentir mal.

_____

_____

_____

¿Por qué sientes que te han perjudicado?

_____

_____

_____

Convérsalo con los adultos.

¿Cómo te sientes después de decirlo?

_____

_____

_____

¡Voy a difundir!

¡Excelente!

Hay que hacerles ver a todas las personas que ninguna sociedad puede avanzar si la mitad de su sociedad se estanca.

¡Por un Estados Unidos que viva plenamente en igualdad!

La igualdad de Amparo Bosque y Susana Rosique
se imprimió en agosto del año 2021 y pretende ser una herramienta
para que los niños (y los adultos) entiendan mejor la necesidad de
construir un mundo igualitario.

Pretendemos que con este libro se reconozca que el machismo nos
daña a todos y que ninguna sociedad podrá avanzar si las mujeres, que
somos la mitad de la población, nos estancamos.

Le sugerimos revise nuestra guía, dirigida a padres y profesores,
"Educa en igualdad" parte del programa educativo que se puede
implementar en las escuelas.

Si está interesado en implementar el programa en su escuela
escríbanos a *educacion@editorialfineo.com*

Descarga la guía para padres y profesores
Educa en igualdad